देवताओं के वाहन

इंद्र और ऐरावत हाथी

शुभा विलास

Om KIDZ
An imprint of Om Books International

ब्रह्मा ने इंद्र को उनके सेवक के रूप में एक विशेष हाथी प्रदान किया था। ऐरावत कोई साधारण हाथी नहीं था। वह सभी हाथियों का राजा था। उसकी हिम जैसी श्वेत त्वचा उसे दिव्य बनाती थी। उसके चार दाँत और सात सूँड़ उसे कुछ विशिष्ट बनाते थे। वह केवल राजा बनने के योग्य था। वह स्वर्ग के राजा इंद्रदेव का रक्षक बनने का योग्य अधिकारी था।

सब कुछ होते हुए भी ऐरावत स्वयं को दोषी एवं लज्जित अनुभव कर रहा था। वह इतना लज्जित हुआ कि समुद्र की तलहटी में छिप गया। वह किसी को अपना मुँह दिखाना सहन नहीं कर सकता था। वह आभारी था कि कोई भी उसके आँसू नहीं देख सका क्योंकि वे उसके हृदय से समुद्र में बह रहे थे।

सभी देवताओं की दयनीय स्थिति के लिए वह अकेले ही उत्तरदायी था। जैसे ही वह घटना उसे याद आई, वह थरथराया और काँप उठा। वह चाहे कितना भी प्रयास कर ले, वह उस दिन को भूल नहीं पाया।

वह इंद्रलोक का एक सुंदर दिन था। ऐरावत द्वार पर सुरक्षा के निरीक्षण में व्यस्त था। दुर्वासा मुनि भगवान इंद्र से मिलने गये थे।

मुनि ने प्रेम के चिह्न के रूप में प्रसन्न होकर इंद्र को अपनी माला दे दी। इंद्र ने माला स्वीकार कर ली और अपने पास खड़े ऐरावत को दे दी।

ऐरावत ने माला अपनी सूँड़ पर रख ली, उसे समझ नहीं आ रहा था कि इसका क्या किया जाए। इसलिए उसने माला को धरती पर पटक दिया और प्रसन्नता से उसे रौंद डाला।

जब उसका कार्य समाप्त हो गया, तो उसे अनुभव हुआ कि वहाँ भयानक मौन फैला हुआ था। उसने ऊपर देखा तो दुर्वासा मुनि और इंद्रदेव के आश्चर्यचकित मुख दिखाई दिये। वह भयभीत हो गया, वे दोनों उसे क्रोध से देख रहे थे। ऐरावत भय से पीछे हट गया।

"तुमने मेरी दी हुई माला का अनादर करने का साहस किया?" दुर्वासा मुनि का मुख क्रोध से लाल हो गया था। इन्द्र का रंग पीला पड़ गया था। वे जानते थे कि दुर्वासा उन्हें भयंकर शाप देंगे। ऐरावत इतना स्तब्ध था कि हिल भी नहीं पा रहा था।

दुर्वासा मुनि इंद्र की ओर मुड़े और सभी देवताओं को शाप दे दिया। “क्योंकि देवताओं को अपनी शाश्वत युवावस्था पर बहुत गर्व है, इसलिए मैं प्रत्येक देवता को शाप देता हूँ कि वे अपनी युवावस्था खो दें और वृद्ध होने लगें।”

एक क्षण में, इंद्र मुनि के चरणों में थे और उनसे शाप वापस लेने की विनती कर रहे थे। इंद्र की विनम्रता और दुःख ने ऋषि को वास्तव में झकझोर कर रख दिया और उनके मन में इंद्र के प्रति सहानुभूति की लहर दौड़ गई। उन्होंने कहा, “अब आपके पास आयु को बढ़ने से रोकने का एकमात्र उपाय समुद्र से अमृत पीना है।”

तब दुर्वासा मुनि शीघ्रता से चले गए। देवता सदमे में थे। जैसे-जैसे दिन बीतते गए, देवताओं को झुर्रियाँ, दृष्टि की हानि और दुर्बलता जैसे वृद्धावस्था के लक्षण दिखाई देने लगे।

अंत में देवताओं और राक्षसों ने दिव्य अमृत के लिए समुद्र-मंथन आरंभ किया। वे फिर से युवा होना चाहते थे।

मंथन के दौरान समुद्र से कई अनमोल संपत्तियाँ निकलीं। वहाँ छिपे ऐरावत को भी बाहर आना पड़ा।

इंद्र अपने प्रिय हाथी को वापस पाकर बहुत प्रसन्न थे, जो बहुत समय से गायब था। ऐरावत यह जानकर बहुत प्रसन्न हुआ कि उसे क्षमा कर दिया गया है। फिर, एक बार जब देवताओं ने अमृतपान कर लिया, तो उन्हें अपना अमर यौवन वापस मिल गया। ऐरावत एक बार फिर प्रसन्न हो गया।